Ce livre est dédié à l'Irlande et à tous les gens
qui nous ont accueillis à cœur ouvert.
Tomi Ungerer

Traduit de l'anglais par Florence Seyvos
© 2013, l'école des loisirs, Paris, pour l'édition en langue française
© 2012, Diogenes Verlag AG, Zürich (Tous droits réservés)
Titre de l'édition originale : « Fog Man »
Loi numéro 49 956 du 16 juillet 1949 sur les publications
destinées à la jeunesse : mars 2013
Dépôt légal : mars 2013
Imprimé en France par Pollina à Luçon - L63530
ISBN 978-2-211-21342-4

Tomi Ungerer

Maître des Brumes

l'école des loisirs
11, rue de Sèvres, Paris 6ᵉ

Finn et Cara étaient frère et sœur.
Ils vivaient avec leurs parents en Irlande,
dans un petit village de pêcheurs,
sur une île coupée du monde.

Le père passait ses journées en mer.
La mère s'occupait de la ferme,
Finn et Cara l'aidaient de leur mieux.
La famille était pauvre, mais ils ne manquaient de rien.
Le peu qu'ils avaient suffisait à leur bonheur.
L'après-midi, Finn et Cara gardaient les moutons sur la falaise.

Ils aidaient à charger la tourbe séchée
que le père avait débitée en briquettes pour le feu.
La nuit venue, le vent se déchaînait en hurlant,
ils se sentaient bien au chaud et à l'abri dans leur maison.

Un jour, le père leur fit une surprise.
Avec des roseaux tressés et de vieilles toiles
passées au goudron, il avait construit pour eux
une petite barque que dans leur pays on appelait *curragh*.
Finn et Cara avaient maintenant leur propre embarcation.

«Ne sortez pas de la baie», les avertit le père,
«et surtout ne vous approchez jamais de l'Île aux Brumes.
C'est un endroit maudit, dangereux, cerné par les courants
les plus traîtres. Ceux qui se sont aventurés dans ses eaux
ne sont jamais revenus.»

Au loin, l'Île aux Brumes transperçait l'horizon,
menaçante comme une vieille dent de sorcière.

Finn et Cara adoraient caboter le long de la côte
et pêcher du poisson. Mais un jour, un brouillard
épais envahit la baie. La marée les entraîna vers le large.
Poussé par de forts courants, leur *curragh* partit à la dérive.
Ils étaient perdus. Seule la cloche d'une balise résonnait
dans le silence cotonneux.

L'obscurité descendit peu à peu.
Le courant les conduisit jusqu'à une petite crique.
Ils tirèrent leur barque sur le rivage et s'installèrent
pour passer la nuit. Comme la lune montait dans
le ciel et inondait la grève d'une lumière laiteuse,
un escalier creusé dans la falaise apparut.

Finn regarda autour de lui et s'exclama :
« Regarde, Cara ! Nous avons échoué sur l'Île aux Brumes.
Allons voir où mènent ces marches. »

Les marches étaient escarpées et glissantes,
et dans le clair de lune, tout semblait saupoudré de farine.
Ils grimpèrent, grimpèrent, et grimpèrent encore…

Ils atteignirent une porte scellée dans un haut mur de pierre.
Ils firent tinter la cloche, la porte s'ouvrit lentement, en grinçant
sur ses gonds rouillés. Devant eux se tenait un très vieil homme.

« Quelle surprise ! » s'exclama le vieillard d'une voix caverneuse.
« Comment êtes-vous arrivés ici ? Êtes-vous perdus ? Qui êtes-vous ? »
Devant le silence des enfants, il ajouta : « Qui que vous soyez,
vous êtes les bienvenus. Entrez. »

Finn et Cara pénétrèrent dans une immense salle obscure,
où il faisait curieusement chaud et humide.

«Je suis le Maître des Brumes», dit leur hôte.
«C'est dans ma brume que vous vous êtes perdus, ce soir.»
«Comment ça, *votre* brume?» demanda Finn.
«C'est moi qui la fabrique. Je l'ai répandue,
mais à présent je vais la dissiper, afin que vous puissiez
rentrer chez vous demain sans crainte.»

« Vous fabriquez la brume ? » répéta Cara.
« Oui, et je vais vous montrer comment »,
répondit le Maître des Brumes. Il ouvrit
la porte métallique d'une immense chaudière.
« Regardez en bas. Que voyez-vous ? »

Finn et Cara se penchèrent et découvrirent un puits
d'une profondeur insondable. Du fin fond de l'abîme
montait une chaleur intense dégagée par une masse
rougeoyante et bouillonnante.

« C'est l'enfer ! » s'écria Finn.
« C'est du magma. Ce que vous voyez là, c'est le centre de la Terre. »
« Comme au fond d'un cratère de volcan ? » demanda Cara.
« Exactement », répondit le Maître des Brumes.
« Vous voyez, quand j'ouvre cette valve, l'eau de mer se déverse
sur la lave ; elle s'évapore et se transforme en brouillard. »

«Il y a si longtemps que je vis seul ici.
La solitude ne m'ennuie pas.
Les poissons et les oiseaux me tiennent compagnie,
ils aiment les chansons que je leur chante. Écoutez!»

Il se mit à chanter dans une langue oubliée,
et bientôt Finn et Cara se mirent à fredonner avec lui.
Jamais ils ne s'étaient si bien amusés.

« Vous devez être affamés », dit soudain le Maître des Brumes.
« Goûtez donc un peu de mon brouet. Mes corbeaux
me ravitaillent en algues et en coquillages. »

Le goût était fadasse, et pourtant cette soupe revigorait le cœur.
Après le repas, le Maître des Brumes leur montra leur chambre
pour la nuit. Ils se glissèrent dans un lit immense, épuisés par
tant d'aventures.

Le lendemain matin, ils se réveillèrent au milieu d'étranges ruines.
Tout cela n'avait-il été qu'un rêve ?
Le Maître des Brumes était-il un fantôme ? Une illusion ?
Mais cette couverture et ces deux bols de bouillon fumant…
d'où venaient-ils ?

Finn et Cara étaient pressés de quitter l'île et de rentrer chez eux.
Ils n'avaient pas le temps pour des questions sans réponse.

Comme le Maître des Brumes le leur avait prédit,
le brouillard s'était levé. Ils partirent dans leur *curragh*.
Les courants, qui s'étaient inversés, les poussèrent
gentiment vers leur île.

Le Maître des Brumes contrôlait la brume,
mais ni les flots ni le vent. Soudain Finn et Cara
se trouvèrent pris dans une violente tempête.
Des vagues déchaînées les secouaient en tous sens.
Tandis que Finn tentait de maintenir le cap,
Cara écopait sans relâche l'eau qui inondait la barque.

Les parents n'avaient pas dormi de la nuit et voyaient
déjà leurs enfants perdus dans la tourmente.
Dès l'aube, le père et les autres pêcheurs du village
partirent à leur recherche.

Leur *curragh* plus grand et plus stable était capable
de faire face aux éléments déchaînés.

Ils aperçurent Finn et Cara juste à temps.
Après plusieurs tentatives, ils réussirent
enfin à hisser les enfants à leur bord.

La mer s'était calmée. Sur la grève, la mère
de Finn et Cara attendait, la mort dans l'âme.
Enfin le *curragh* apparut! Les enfants, sains et saufs,
étaient à bord.

Ce soir-là, tous les voisins se réunirent dans le pub du village
pour célébrer le retour de nos jeunes héros.
Bien que personne ne fût encore jamais revenu de l'Île aux Brumes,
aucun des villageois ne crut ce que Finn et Cara racontaient.
Le Maître des Brumes ? Une fantaisie !

« Mais nous avons une preuve ! Les bols et la couverture sont
toujours là-bas, dans les ruines ! » insistèrent Finn et Cara.
Personne n'eut le courage d'aller vérifier.
Les enfants, c'est connu, racontent n'importe quoi.

Un soir, bien des semaines plus tard,
toute la famille était en train de dîner.
Cara trouva un cheveu dans sa soupe. Elle tira, tira…

« Tiens, le Maître des Brumes ! » chuchota-t-elle à Finn.
Leurs parents ne surent jamais ce qui faisait
pouffer de rire leurs deux enfants.